한여름에 펼쳐진 통일의 꿈

2024년 석사초등학교

3학년 121명이

쓰고 그리다

한여름에 펼쳐진
통일의 꿈

발   행 | 2024년 7월 8일
저   자 | 2024년 석사초등학교 3학년
엮은이 | 심재근, 한민주, 이진수, 이 솔, 김태호
펴낸이 | 한건희
펴낸곳 | 주식회사 부크크
출판사등록 | 2014.07.15.(제2014-16호)
주   소 | 서울특별시 금천구 가산디지털1로 119 SK트윈타워 A동 305호
전   화 | 1670-8316
이메일 | info@bookk.co.kr

ISBN | 979-11-410-9345-7

한여름에

펼쳐진

통일의 꿈

2024년 석사초등학교 3학년 121명이 쓰고 그리다

심재근, 한민주, 이진수, 이 솔, 김태호 엮음

추천사

석사초등학교 3학년 여러분!

제12회 통일교육주간에 함께 한 '한여름에 펼쳐진 통일의 꿈' 이라는 통일 시화집 발간을 축하합니다.

'우리의 소원은 통일 꿈에도 소원은 통일
이 정성 다해서 통일 통일을 이루자.
이 겨레 살리는 통일 이 나라 살리는 통일
통일이여 어서 오라 통일이여 오라'
매년 유월이 오면 습관처럼 부르던
우리의 소원이라는 동요입니다.

우리 모두 간절한 소원임에도 불구하고
그때도 지금도
통일을 염원하고 있습니다.

「모두가 누리는 자유, 함께 이루는 통일」을 주제로
선생님과 수업도 하고, 친구들과 나눈 통일 이야기를
글로 쓰고, 그림으로 그려내어 시화집으로 엮었다니
대견합니다.

통일을 기다리는
여러분의 마음과 의지가 들리는 듯합니다.

우리 모두의 바람이 반드시 이루어져
나이도 지역도 모두 잊은 채
온 민족이 손에 손을 잡고
아리랑도 부르고 군밤타령도 부르고
강강술래로 덩실덩실 춤출 날이 오기를......

끝으로, '한여름에 펼쳐진 통일의 꿈' 통일 시화집이
나오기까지 지도해 주신 3학년 심재근, 한민주, 이진
수, 이 솔, 김태호 선생님께 감사 인사드립니다.

2024년 7월, 석사초등학교 교장 조희천

차 례

추천사

3학년 1반

김기찬 김지완 김태희 김하유 문예빈 박소윤
박지호 박태오 송시윤 신준후 심재준 안효영
양서윤 이규원 이 솔 이시율 이서현 이연재
이윤서 정선우 정진우 최승아 최승준 황윤희

3학년 1반 김기찬

3학년 1반 김지완

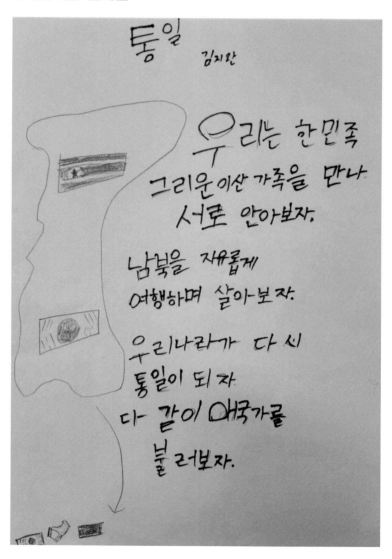

통일
김지완

우리는 한민족
그리운 이산 가족을 만나
서로 안아보자.

남북을 자유롭게
여행하며 살아보자.

우리나라가 다시
통일이 되자.
다 같이 애국가를
불러보자.

3학년 1반 김태희

통일의 꽃을 피워요

꽃은 물, 흙, 빛이 모여
아름다운 꽃을 피워듯이

남과 북이 서로 돕고
만나면 통일의 아름다운
꽃이 피지요.

우리 함께 지지 않는
통일의 꽃을 피워요.

김태희

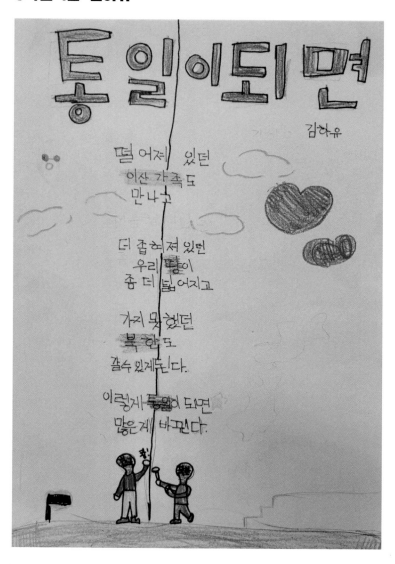

3학년 1반 문예빈

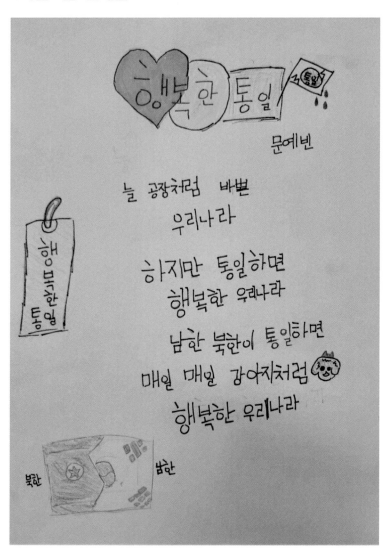

행복한 통일

문예빈

늘 공장처럼 바쁜
우리나라

하지만 통일하면
행복한 우리나라

남한 북한이 통일하면
매일 매일 강아지처럼
행복한 우리나라

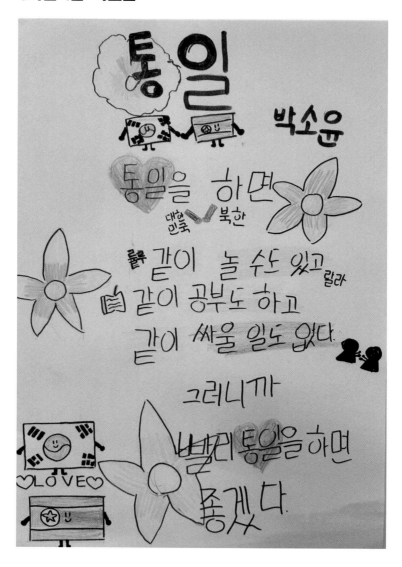

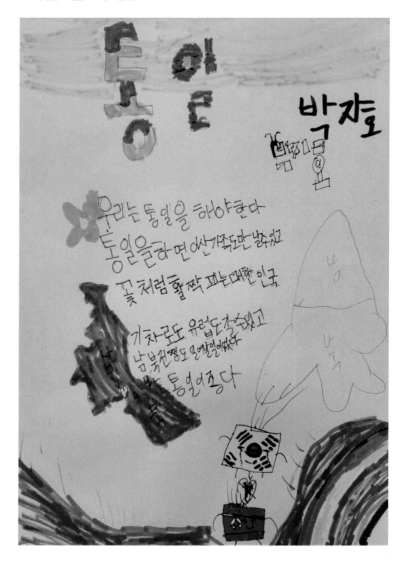

3학년 1반 박태오

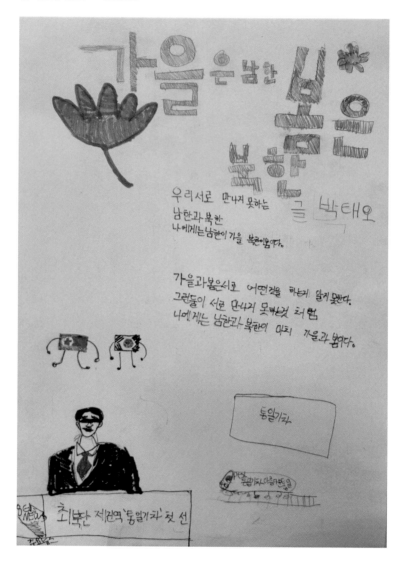

3학년 1반 송시윤

통일

신준후

남북이 통일 되면
우리는 기차 타고
해외여행을 갈수 잇다
냉면 먹으러 평양에 갈수잇다.

통일이 되면

한국에 인구 수가 만하 져서
한국 경제가 발달 할수잇다
제발 통일이
빨리 됏으면 좋겠다

3학년 1반 심재준

무궁화

양서윤

우린 통일을
기대하고 원하고 있다.
만약 북한과 남 한이
통일을 한다면

언제나 활 짝 피어 있는
무궁화 처럼 환한
미소를 지을 것이다.

3학년 1반 이규원

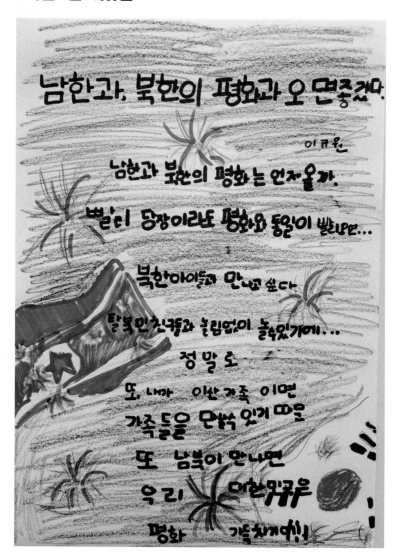

남한과, 북한의 평화과 오 면 좋겠다.

이규원

남한과 북한의 평화는 언제 올까.

빨리 당장이라도 평화요 통일이 빨리 면...

북한 아이들과 만나고 싶다

탈북민친구들과 눌림없이 놀수있기에...

정말 요

또, 내가 이산 가족 이면
가족 들을 만날수 있기 때믄

또 남북이 만나면
우리 대한민국은

평화 가득치게예!

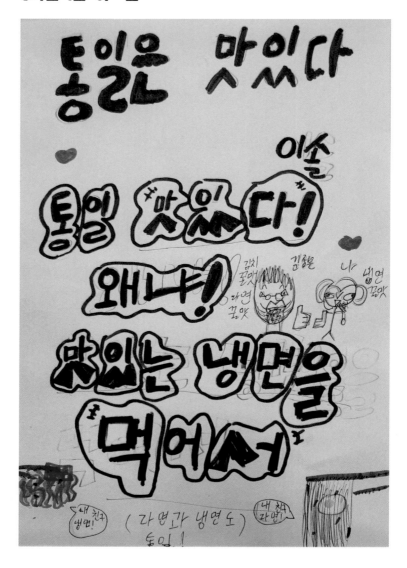

3학년 1반 이시율

통일

통일이 됐으면 좋겠다

왜냐면 통일이 되면
전쟁도 안하고

백두산도가고 금강산도가고

이산가족도 만나고

남북전쟁도 안하고

일석 만조이다

25

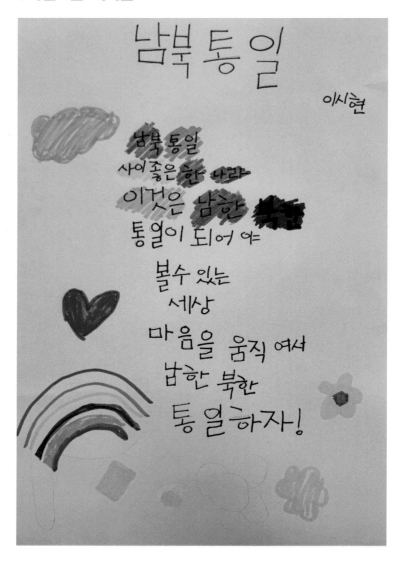

3학년 1반 이연재

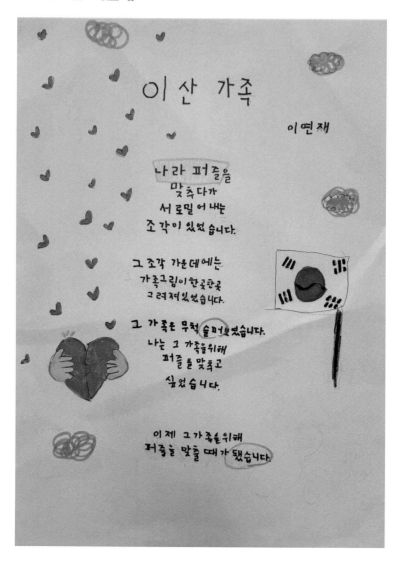

이 산 가 족

이연재

나라 퍼즐을
맞추다가
서로밀어내는
조각이 있었습니다.

그 조각 가운데에는
가족그림이 한 곳 딴 곳
그려져 있었습니다.

그 가족은 무척 슬퍼보였습니다.
나는 그 가족을 위해
퍼즐을 맞추고
싶었습니다.

이제 그 가족을 위해
퍼즐을 맞출 때가 됐습니다

3학년 1반 이윤서

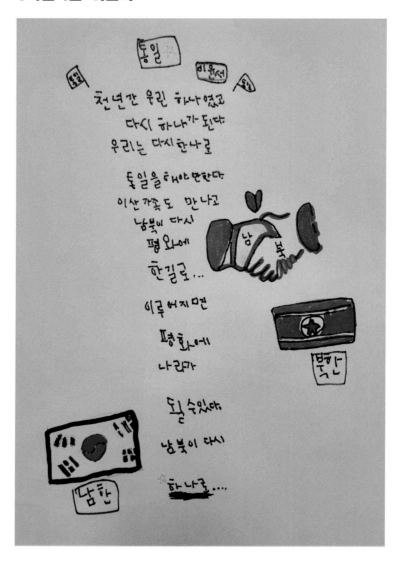

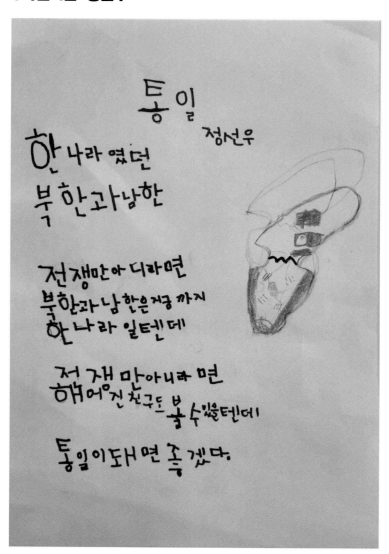

통일

정선우

한 나라 였던
부 한과 남한

전쟁만아 디라면
부한과 남한은 지금 까지
한 나라 일텐데

저 쟁 만아니라 면
해어진 친구도 볼 수 있을텐데

통일이돼면 좋겠다.

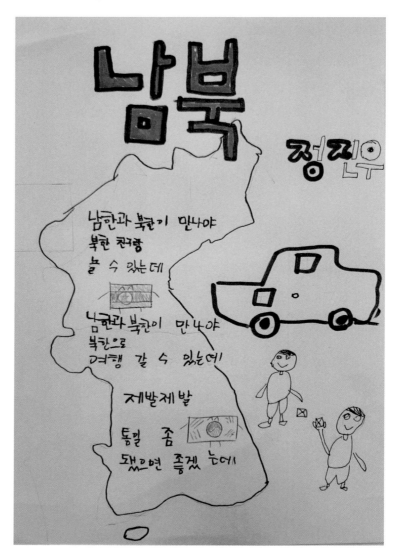

3학년 1반 최승아

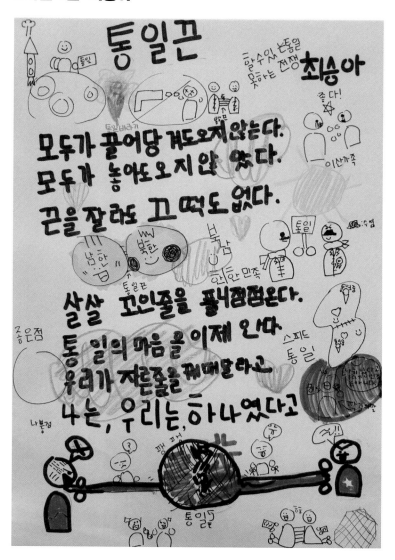

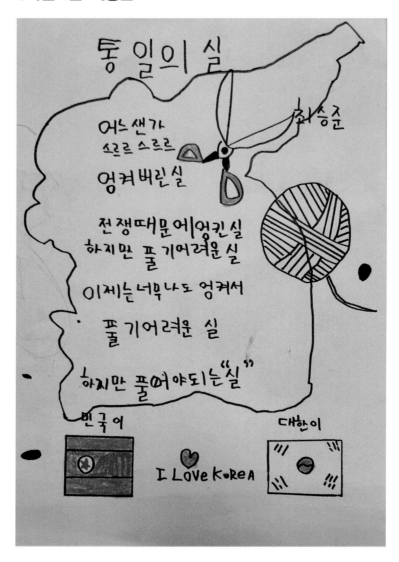

3학년 1반 황윤희

33

3학년 2반

강주원 김강현 김나원 김도연 김리언
김선우 김수현 김연이 문호윤 박강솔
박시하 송민채 우수아 유예린 윤하람
이도윤 이민기 이서연 이수지 이시후
임여준 정하랑 정하음 진하준 최동빈

3학년 2반 강주원

남북 통일 강주원

남한이랑 북한이랑

통일 된다는것

좋은것

땅도 넓어지고

북한에 살았던 친척들도 만나고

가고 싶던 백두산도 가고

통일이 되면 좋겠다

3학년 2반 김강현

통일이란

김강현

가도 가도 보이지않네.
가고 또 가도 통일이 보이지않네.
통일이란 무엇일까?

이산 가족이 만나는 것?
모두 행복해지는 것?
통일이란 나라가 합쳐지는것?

통일이란언제쯤 볼수있을까?
통일이란 궁금증이 해결될수있게
하루 빨리통일되길
두 손모아 바래본다.

3학년 2반 김나원

나의 통일

김도연

나의 통일은 하나
라도 소중하다.

통일은 소중해야되고
우리 나라에 한개뿐이다.

그만큼 통일이 소중할까?
통일은 뭐고 통일은 무슨 뜻일까?

통일을 소중해야되나?
아니 면 싫어해야되나?

혹시모르니까 통일를
소중하고 마음을담아야
되겠다.

3학년 2반 김리언

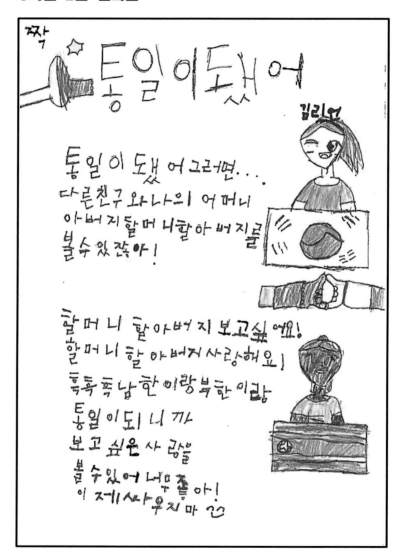

40

3학년 2반 김선우

평화 통일

김선우

통일 된 세상
더 많은 곳에 가고 구경 갈 수 있고
넓은 나라가 되고

떨어진 가족과 재회하며
더 나은 세상이 되고
행복한 나라가 된다
함께 도와 주며 살자

전쟁이 끝나고
평화가 넘쳐나고
행복이 넘치는
나라가 되는 것

41

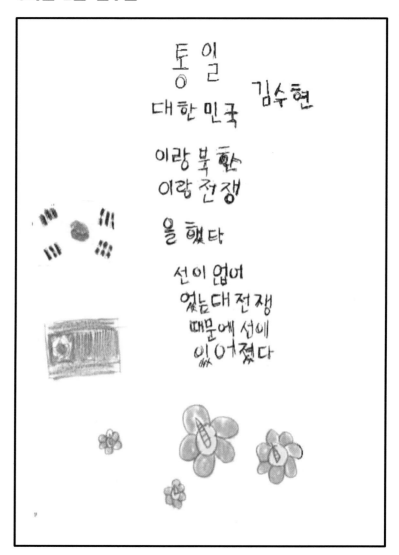

3학년 2반 김연이

남한과북한의통일

김연이

우리 나 라와
북한이 통일이 되면
정말 좋겠다.
통일이 되면

전쟁도 끝나고

다~같이 행복하게
살 수 있다.
그리고 이제 다같이
그 생각으로 자기 맘대로
살 수 있게

해 주고 싶 다!~

우리 나라만 서|

문호윤

우리 나라 만세
우리는 대한민국, 만세
우리나라는 최고
북한과 남한이 힘을 합치자
우리 나라 만세

사람들이 잘 살게
자연을 소중히
우리들은 행복하게

산들, 우리의 좋은 산
대한민국, 우리 나라 다.

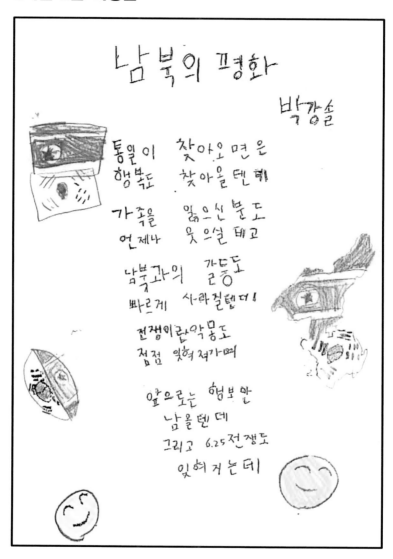

남북의 평화

박강솔

통일이 찾아오면은
행복도 찾아올텐데

가족을 잃으신 분도
언제나 웃으실 테고

남북과의 갈등도
빠르게 사라질텐데!

전쟁이란 악몽도
점점 잊혀져가며

앞으로는 행복만
남을텐데
그리고 6.25전쟁도
잊혀지는데

통일

박시하

통일 우리의 통일

지금은 떨어졌지만 자석처럼 붙고 싶은데
붙을 수가 없네

아무리 노력을 열심히 해봐도
할 수 없네

우리의 남한과 북한이 꼭

붙었으면 좋겠다.

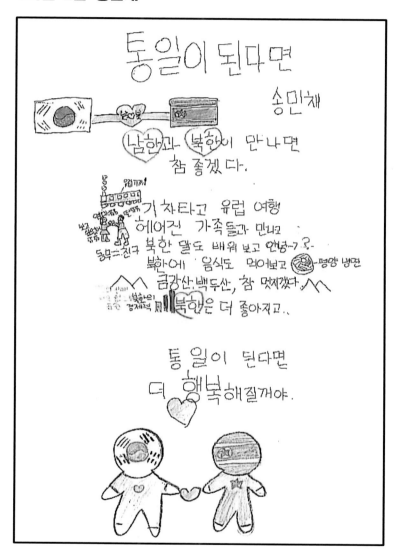

3학년 2반 우수아

우리 통일는 하나

우수아

우리 통일은 원래 하나
그만큼 엄청 소중하다

나는 통일이 소중하다고
느껴진다 통일은 하나
통일는 뭘까

우리 친구 통일
하나뿐인 우리 통일
우리나라 통일

통일이 있으면 좋겠다
통일은 소중하다

3학년 2반 유예린

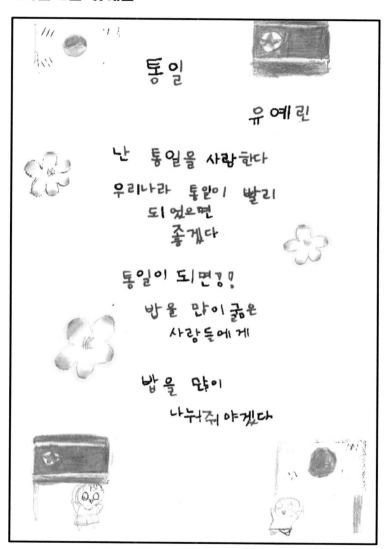

통일

유예린

난 통일을 사랑한다

우리나라 통일이 빨리
되었으면
좋겠다

통일이 되면?!

밥을 많이 굶은
사람들에게

밥을 많이
나눠줘야겠다

3학년 2반 윤하람

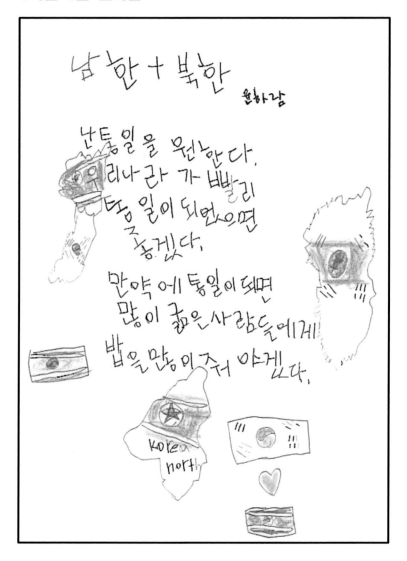

남북 통일하자

이도윤

남북을
통일하는
지우개를
경계선을
지우 자

갓고

남한과
북한이
힘을
합치자

남북 통일하자

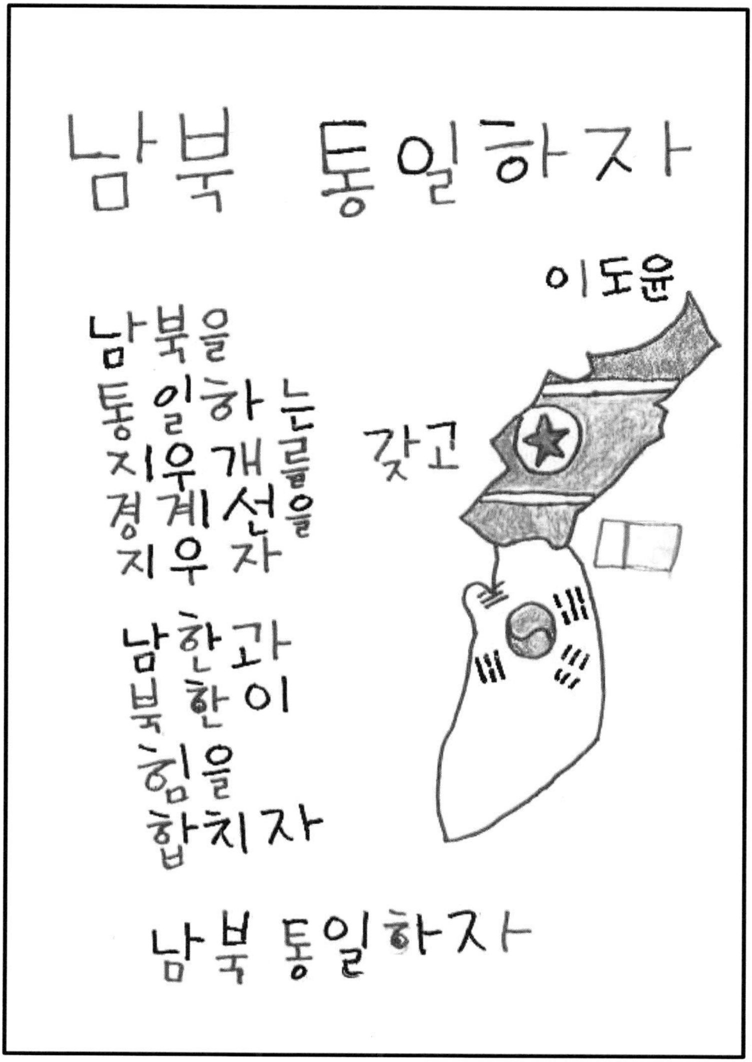

3학년 2반 이민기

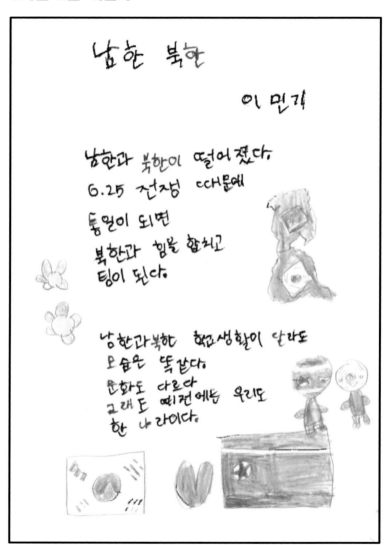

남한 북한

이민기

남한과 북한이 떨어졌다.
6.25 전쟁 때문에
통일이 되면
북한과 힘을 합치고
팅이 된다.

남한과북한 학교생활이 달라도
모습은 똑같다.
문화도 다르다
그래도 예전에는 우리도
한 나라이다.

3학년 2반 이서연

3학년 2반 이수지

3학년 2반 임여준

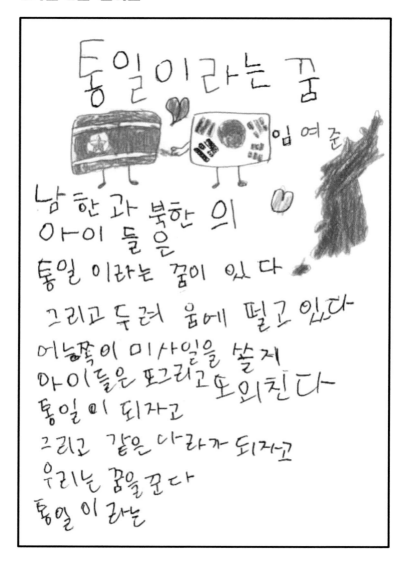

통일이라는 꿈

임여준

남한과 북한의
아이들은
통일이라는 꿈이 있다

그리고 두려움에 떨고 있다

어느쪽이 미사일을 쏠지
아이들은 또그리고 소리친다

통일이 되자고

그리고 같은 나라가 되자고

우리는 꿈을 꾼다

통일이라는

3학년 2반 정하랑

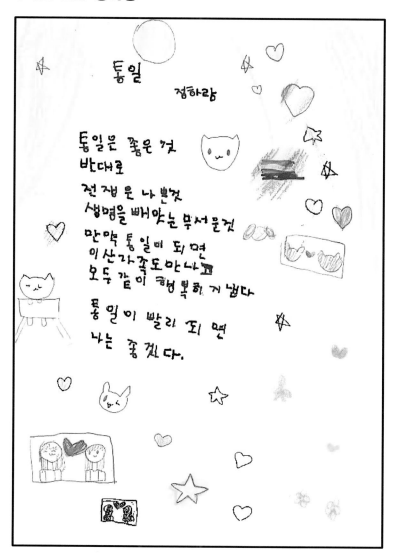

통일

정하랑

통일은 좋은 것
반대로
전쟁은 나쁜것
생명을 빼앗는 무서운것
만약 통일이 되면
이산가족도 만나고
모두 같이 행복해 진다

통일이 빨리 되면
나는 좋겠다.

3학년 2반 진하준

통일 된 우리나라

우리나라라 진하준
다시 땅을
붙쳤 스면

좋겠다.
사이 좋게
사면 좋겠다
치해 거고
사이 좋게
가치 놀고
좋게 다.

3학년 2반 최동빈

한반도의 통일

최동빈

통일은 언제 될까
내 머리속은 통일 통일
모두 통일
모두모두 언제 통일 될까
모두다 악수 우리는 모두 친구
어디든지 다같이 친구
다 같이 평화 저기도 여기도 평화
동물도 다같이 통일 사자도 통일
꽃도 다같이 통일

우리는 모두 하나의 생명

60

3학년 3반

김도준 김민찬 김 봄 박건희 배건호
백지완 심연우 엄유준 유 건 이라원
이로원 이수아 이시우 이시현 이준하
이지아 임희주 정윤서 정윤호 정이우
정지유 최승하 최지안 함예솔 홍진우

3학년 3반 김도준

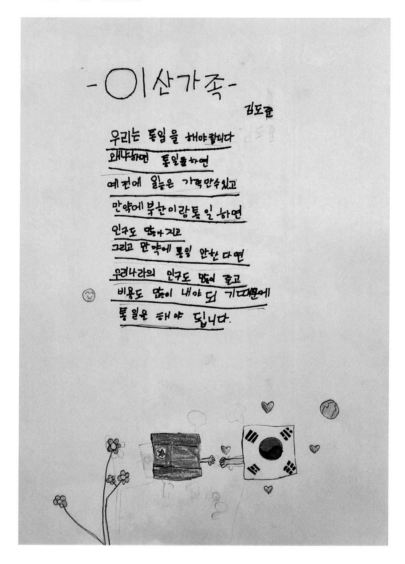

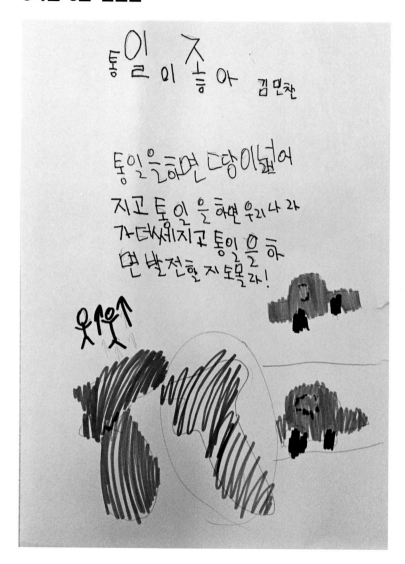

3학년 3반 김봄

통 일 합시 다.

김봄

우리는 북한과 통일을 해야 합니다.

통일를 하면 평화 와 안전을 되 찾을
수 있습니다.
그 리고 전 쟁이 안일 어 날수도 없습니다.

통일를 하면 북한의 자 원을 얻을 수 있습니다.
그리고 이산가족도 만날수 있고 러시아,중국등의 나
라를 기 차를 타고 마음것 다 닐수 있 습니다.

3학년 3반 박건희

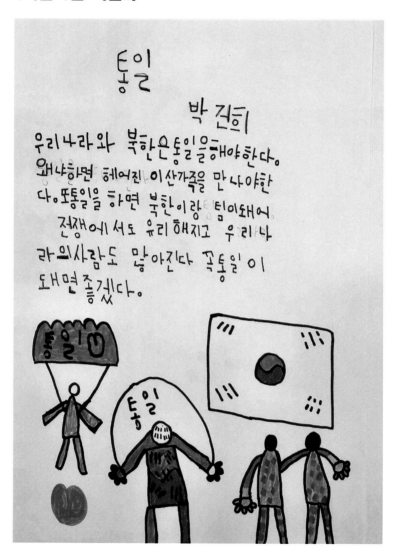

3학년 3반 배건호

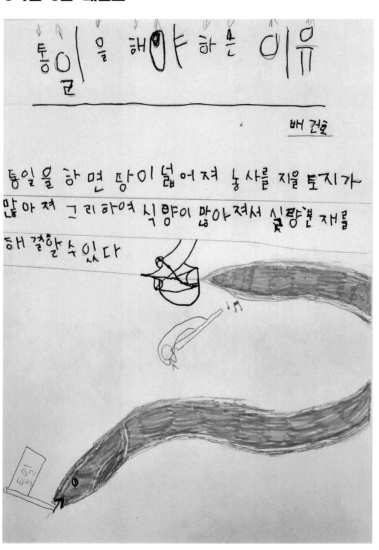

통일을 해야하는 이유

배건호

통일을 하면 땅이 넓어져 농사를 지을 토지가 많아져 그리하여 식량이 많아져서 식량문제를 해결할수있다

3학년 3반 백지완

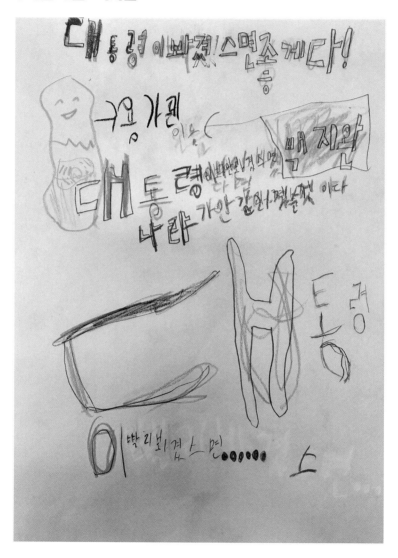

3학년 3반 심연우

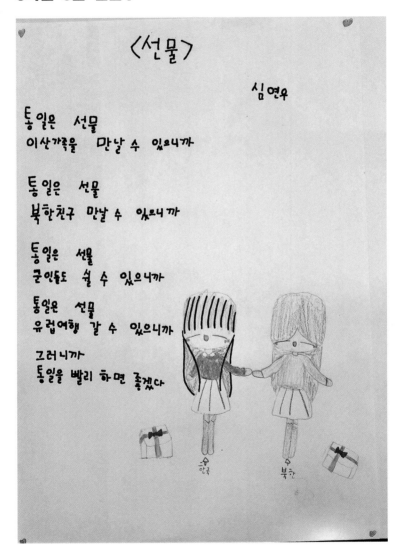

〈선물〉

심연우

통일은 선물
이산가족을 만날 수 있으니까

통일은 선물
북한친구 만날 수 있으니까

통일은 선물
군인들도 쉴 수 있으니까

통일은 선물
유럽여행 갈 수 있으니까

그러니까
통일을 빨리 하면 좋겠다

3학년 3반 엄유준

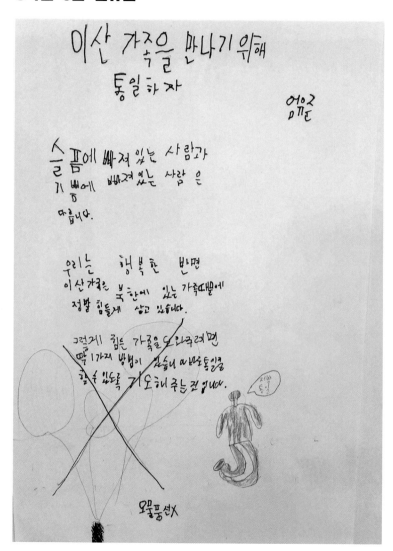

이산 가족을 만나기위해
통일하자

엄유준

슬픔에 빠져 있는 사람과
기쁨에 빠져 있는 사람 은
다릅니다.

우리는 행복한 반면
이산가족은 북한에 있는 가족때문에
정말 힘들게 살고 있습니다.

그런게 힘든 가족을 도와주려면
딱 1가지 방법이 있습니 아버지통일를
할 수 있도록 기도해 주는 겁니다.

오물풍선X

통일 어떻게할까

유건

북한 대통령은 통일을 싫어한다. 왜 일까?

궁금한 저도 많다 아직도 궁금하다.

아직도 궁금하다. 통일한다 떤얼마나좋을까 이산가족도 만나고 땅도 넓어지고 그치만 북한은 통일은 공산주의로 하라 할께 분명하다. 나는 어떤방법을 알아봐 야겠다.

3학년 3반 이라원

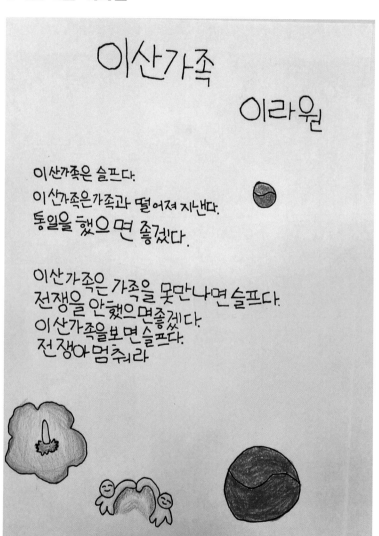

이산가족

이라원

이산가족은 슬프다.
이산가족은 가족과 떨어져 지낸다.
통일을 했으면 좋겠다.

이산가족은 가족을 못만나면 슬프다.
전쟁을 안했으면좋겠다.
이산가족을보면슬프다.
전쟁아 멈춰라

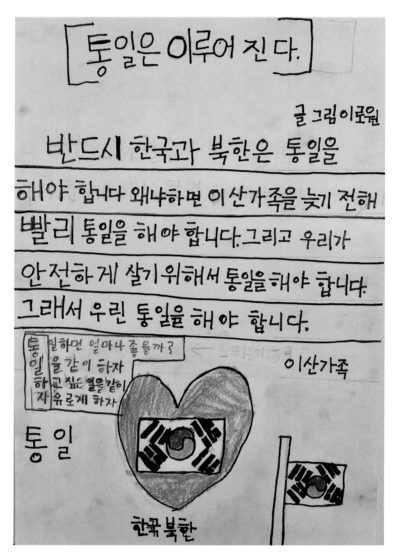

3학년 3반 이수아

< 통일 선물 >

이수아

우리는 원래 한민족

전쟁 때문에 갈라진 대한민국
이제는 남한 북한 이라고 말하네

남한 북한 이라는 단어가 사라지는 순간
우리는 손 잡을수 있을거야

전쟁 때문에 헤어진 가족들

통일해서 다시 만나자

통일하면 가족 만나고
통일하면 평화가 찾아오네

우리가 꼭 통일하자

이산가족에게 통일을 선물하자
대한민국에게 통일을 선물하자

주문하신
남북통일입니다.

3학년 3반 이시우

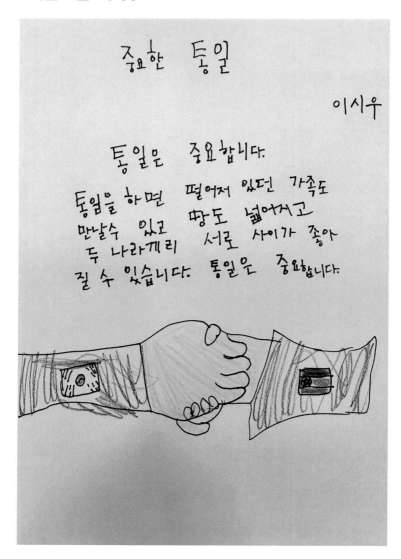

중요한 통일

이시우

통일은 중요합니다.

통일을 하면 떨어져 있던 가족도
만날수 있고 땅도 넓어지고
두 나라끼리 서로 사이가 좋아
질 수 있습니다. 통일은 중요합니다.

3학년 3반 이시현

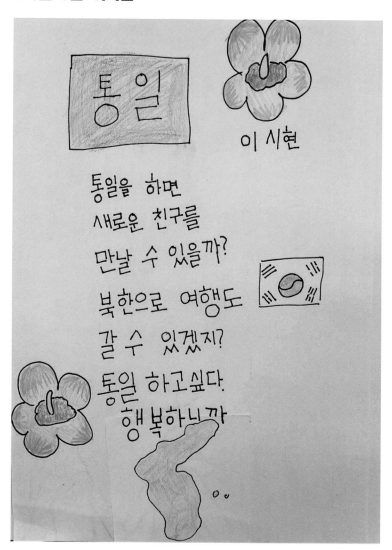

통일

이 시현

통일을 하면
새로운 친구를
만날 수 있을까?
북한으로 여행도
갈 수 있겠지?
통일 하고싶다!
행복하니까

3학년 3반 이준하

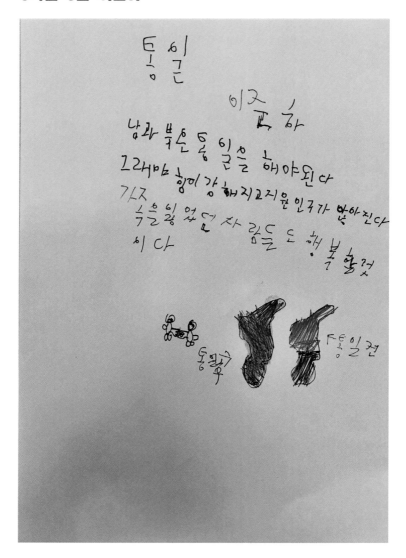

3학년 3반 이지아

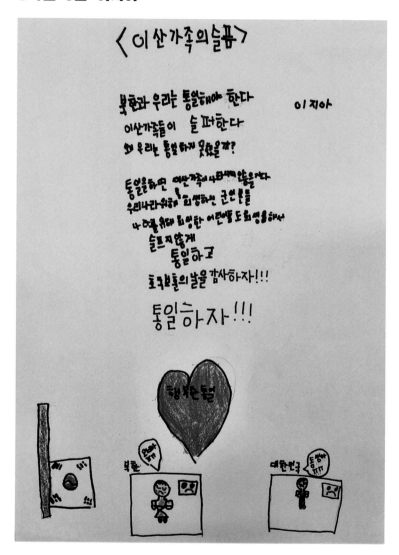

3학년 3반 임희주

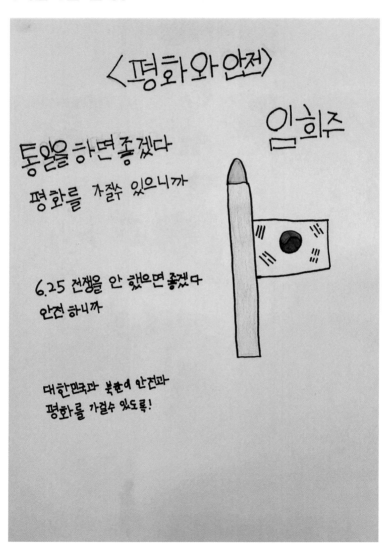

3학년 3반 정윤서

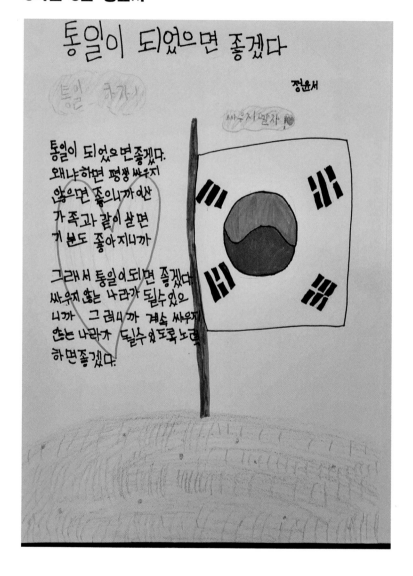

통일이 되었으면 좋겠다

정윤서

통일이 되었으면 좋겠다.
왜냐하면 평쌩 싸우지
않으면 좋으니까 이산
가족과 같이 살면
기분도 좋아지니까

그래서 통일이되면 좋겠다.
싸우지 않는 나라가 될수있으
니까 그려니까 계속 싸우지
않는 나라가 될수있도록 노력
하면좋겠다.

3학년 3반 정윤호

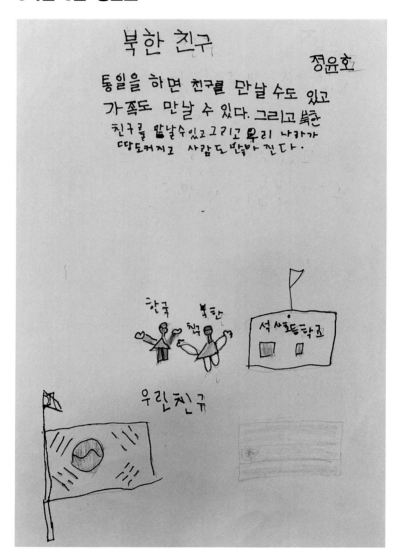

북한 친구

정윤호

통일을 하면 친구를 만날 수도 있고
가족도 만날 수 있다. 그리고 북한
친구를 만날수있고 그리고 우리 나라가
땅도커지고 사람도 많아진다.

한국 북한
책

석사초등학교

우리친구

3학년 3반 정이우

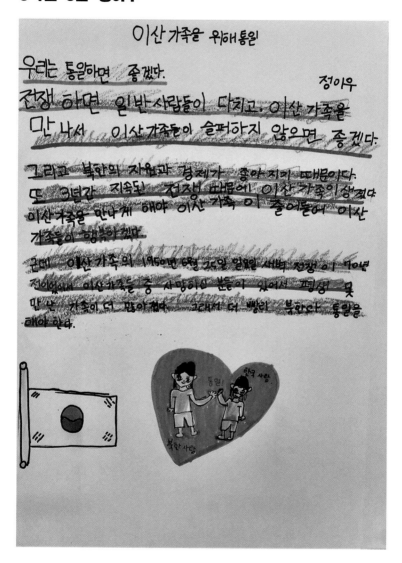

이산 가족을 위해 통일

우리는 통일하면 좋겠다.
정이우

전쟁 하면 일반사람들이 다치고, 이산 가족을
만나서 이산 가족들이 슬퍼하지 않으면 좋겠다.

그리고 북한의 자원과 경제가 좋아지기 때문이다.
또 3년간 지속된 전쟁 때문에 이산 가족이 생겼다.
이산 가족을 만나게 해야 이산 가족이 줄어들어 이산
가족들이 행복해 쌨다.

근데 이산 가족 의 1950년 6월 25일 일요일 새벽 전쟁이 다얻년
전이었어서 이산가족들 중 사망이이 분들이 있어서 꼬빵성 못
만난 가족이 더 많아 쌨다. 그래서 더 빨리 북한이 통일을
해야 한다.

3학년 3반 정지유

통   일

정지유

빨리 통일을 하면 좋겠다.
왜냐하면 통일을 하면...
평화도유지고 친구들이 더많이 생긴다.
그러니 꼭 통일을하자!

!통 일!

♡이산   가족♡

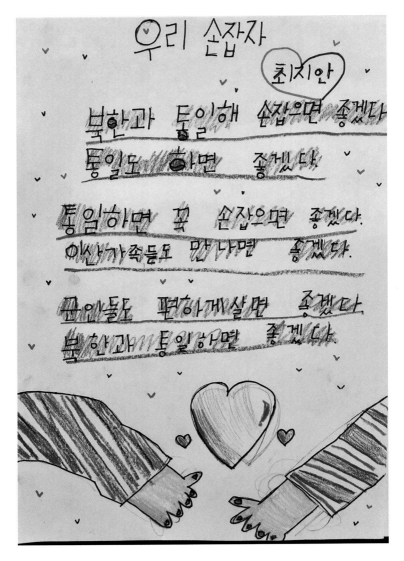

3학년 3반 함예술

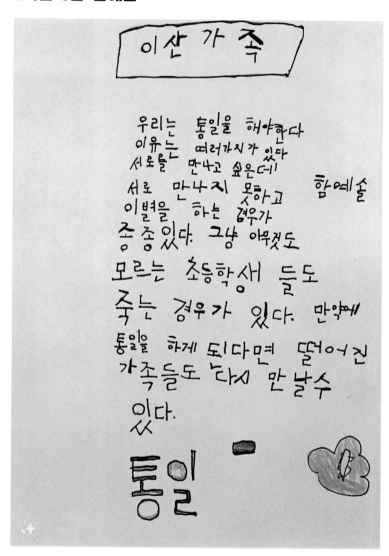

이산 가족

우리는 통일을 해야한다
이유는 여러가지가 있다
서로를 만나고 싶은데
서로 만나지 못하고   함예술
이별을 하는 경우가
종종있다. 그냥 아무것도
모르는 초등학생 들도
죽는 경우가 있다. 만약에
통일을 하게 된다면 떨어진
가족들도 다시 만날수
있다.

통일

3학년 3반 홍진우

제목 : 통일

홍진우

대한민국에랑 북한이랑 통일 도면

좋겠다.

왜냐하면 대한민국이랑 북한은 한

핏 줄 이 없으니까.

대한민국과 북한를 두 나라로

나누는 선이 없어져

다시 한 나라가 됀기 위해

우리 통일 했다.

북한 한국

88

3학년 4반

강솔이　고예준　권도희　김다훈　김도율
명선혜　박민서　심유하　유지아　이가은
이동하　이아인　이재율　이태현　이하영
이호윤　임서연　장태민　정아희　최용찬
　　　　최준수　홍가을　홍서인

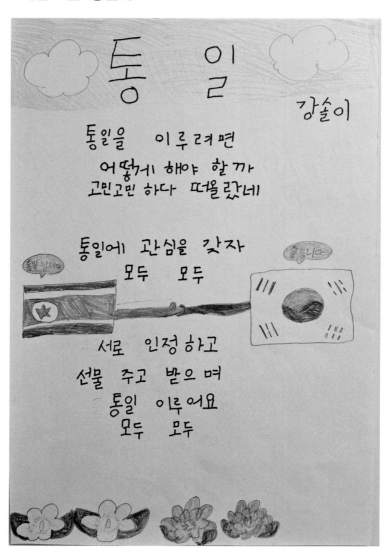

3학년 4반 고예준

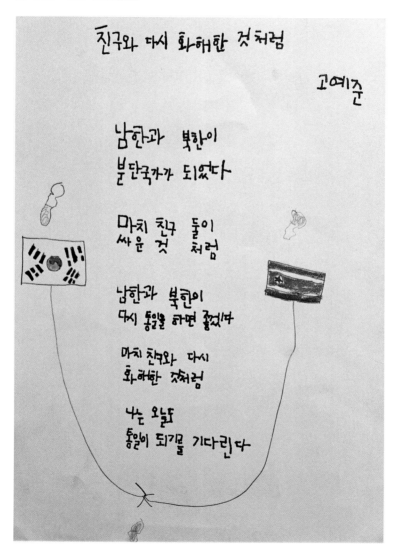

친구와 다시 화해한 것처럼

고예준

남한과 북한이
분단국가가 되었다

마치 친구 둘이
싸운 것 처럼

남한과 북한이
다시 통일을 하면 좋겠다

마치 친구와 다시
화해한 것처럼

나는 오늘도
통일이 되기를 기다린다

93

3학년 4반 권도희

통일의 사랑

권도희

통일이되면 이산가족이
만날 수 있게 됩니다.

이산가족을 위해
통일을 해요.

남한과 북한이
전쟁을 안하면
평화로운 나라가 됩니다.

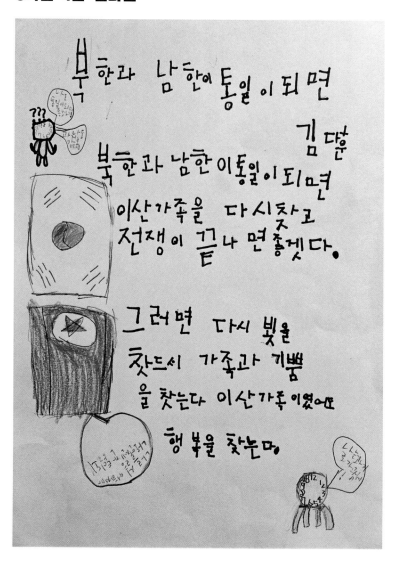

3학년 4반 김도율

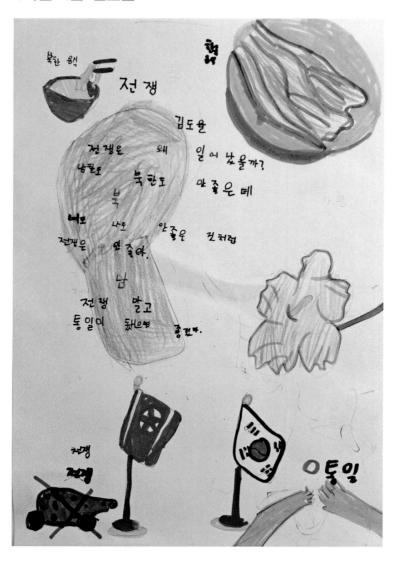

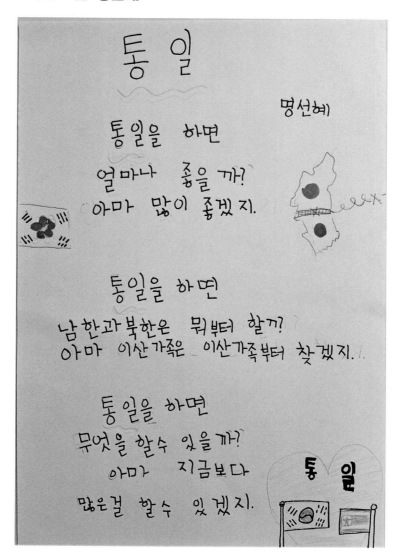

통일

명선혜

통일을 하면

얼마나 좋을까?
아마 많이 좋겠지.

통일을 하면

남한과 북한은 뭐부터 할끼?
아마 이산가족은 이산가족부터 찾겠지.

통일을 하면
무엇을 할수 있을까?
아마 지금보다
많은걸 할수 있겠지.

통   일

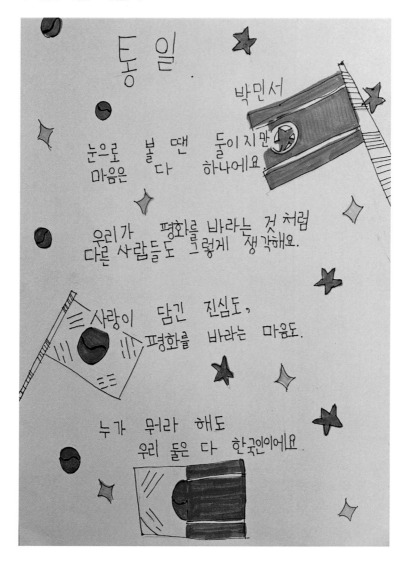

3학년 4반 심유하

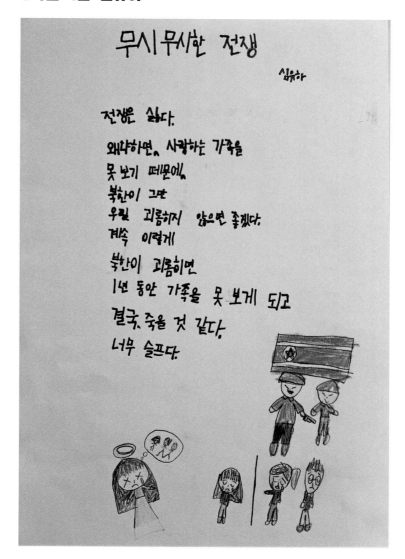

무시무시한 전쟁

심유하

전쟁은 싫다.

왜냐하면, 사랑하는 가족을

못 보기 때문에.

북한이 그만

우릴 괴롭히지 않으면 좋겠다.

계속 이렇게

북한이 괴롭히면

1년 동안 가족을 못 보게 되고

결국 죽을 것 같다.

너무 슬프다.

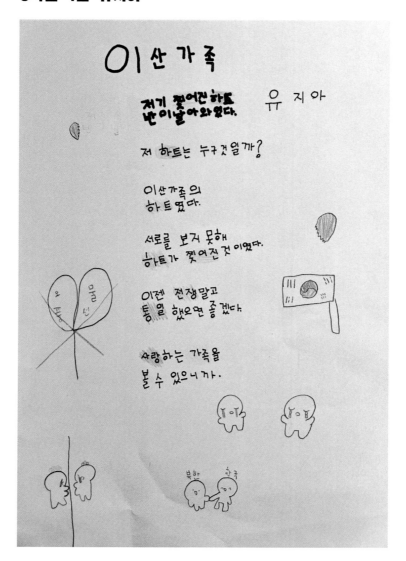

이산가족

저기 찢어진 하트
난 이날아와있다.   유지아

저 하트는 누구것일까?

이산가족의
하트였다.

서로를 보지 못해
하트가 찢어진 것이였다.

이젠 전쟁말고
통일 했으면 좋겠다.

사랑하는 가족을
볼 수 있으니까.

통일 그 단어

이가은

통일 그 단어는 쉬워.
근데 그 단어가
진짜 쉬울까?

이제 그 문을 열고
통일 그 단어가
어울리는 시간 이에요.

통일 그 단어.

3학년 4반 이동하

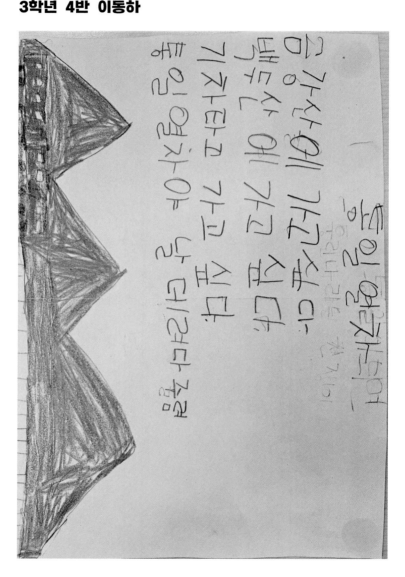

3학년 4반 이재율

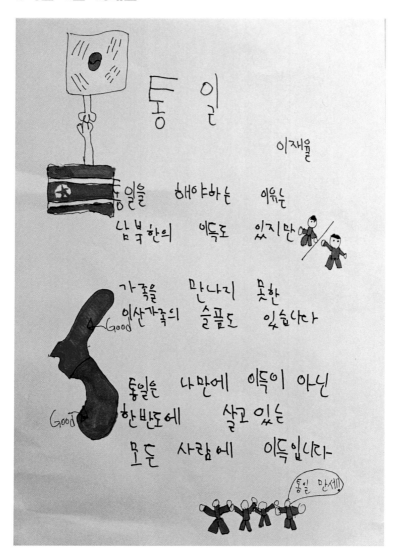

통일

이재율

통일을 해야하는 이유는
남북한의 이득도 있지만

가족을 만나지 못한
이산가족의 슬픔도 있습니다

통일은 나만에 이득이 아닌
한반도에 살고 있는
모든 사람에 이득입니다

통일 만세

3학년 4반 이태현

통일 하자

이태현

통일을 안 하면 싸움이 더크게 난다.

통일을 해야지 가족을 만나수 있다.
백두산 도갈수있다.

북 한과 대한 민국은 통일을 제발 하자
북한과 대한 민국 사사 우지 말 자

3학년 4반 이하영

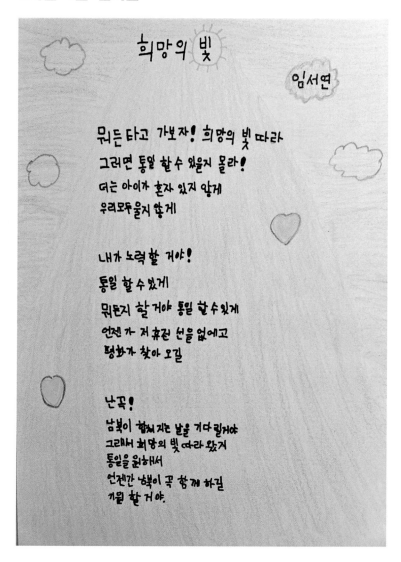

희망의 빛

임서연

뭐든 타고 가보자! 희망의 빛 따라
그러면 통일 할 수 있을지 몰라!
더는 아이가 혼자 있지 않게
우리모두 울지 않게

내가 노력할 거야!
통일 할 수 있게
뭐든지 할 거야 통일 할수있게
언젠 가 저 휴전 선을 없애고
평화가 찾아 오길

난꼭!
남북이 합쳐지는 날을 기다릴거야
그래서 희망의 빛 따라 왔어
통일을 원해서
언젠간 남북이 꼭 함께 하길
기원 할 거야.

3학년 4반 장태민

통일

장태민

통일이 왜 일어났습가요.

통을을 왜 일어난 슬까요.
왜냐하면 새벽에북한이
우리 나라을 침병 했슴니
우리 나라 는 자고 ㅐ는 되벽
에 들어 와 서 우리 나라 을 침점
해다.

109

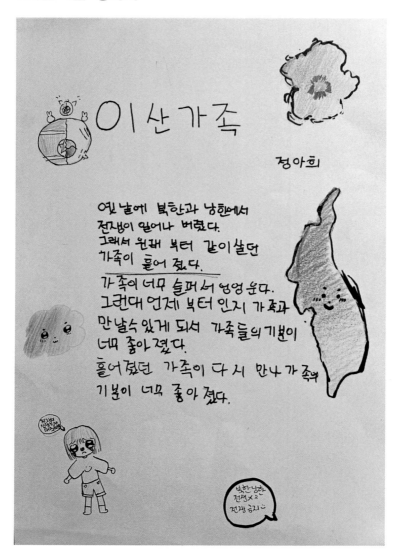

이산가족

정아희

옛 날에 북한과 남한에서
전쟁이 일어나 버렸다.
그래서 원래 부터 같이살던
가족이 흩어 졌다.
가족이 너무 슬퍼서 엉엉운다.
그런데 언제 부터 인지 가족과
만날수 있게 되서 가족들의 기분이
너무 좋아졌다.
흩어졌던 가족이 다시 만나 가족의
기분이 너무 좋아 졌다.

3학년 4반 최용찬

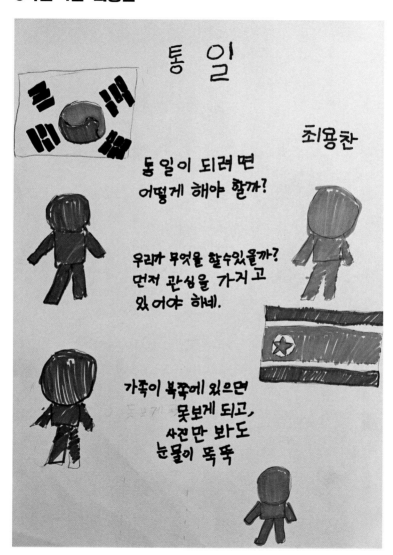

3학년 4반 최준수

반으로 잘린 호랑이

최준수

갑자기 잘린 호랑이
남북으로 싹뚝 잘린 호랑이

으악! 호랑이 허리가 잘렸다!
반으로 싹뚝 싹뚝 잘린 호랑이

호랑이를 붙여라!
통일이 되라!

3학년 4반 홍가을

이산가족

홍가을

그리운 가족들을
다시 만난다면

봄에는 같이
봄향기를 느끼고

여름에는 첨벙첨벙
같이 수영하고

가을에는 같이
단풍 구경가고

겨울에는 같이
눈사람 만들면
얼마나 좋을까.

나는 오늘도 통일을 기다린다.

3학년 4반 홍서인

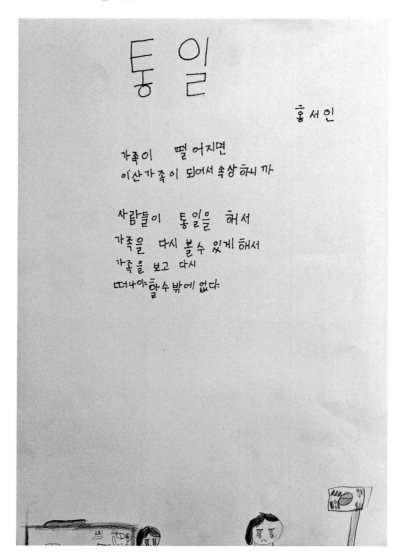

통일

홍서인

가족이 떨어지면
이산가족이 되어서 속상하니까

사람들이 통일을 해서
가족을 다시 볼수 있게 해서
가족을 보고 다시
떠나야할수 밖에 없다

3학년 5반

권민수 김나은 김나현 김무진 김선율 김윤아
김태림 김하빈 백시연 송태혁 신지환 오지유
오현수 원선우 유가온 유시후 이서준 이성록
이해린 조하엘 지소민 지준효 최원준 최인호

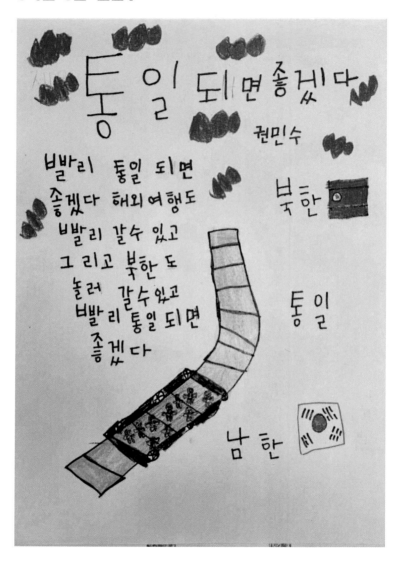

3학년 5반 김나은

3학년 5반 김나현

우리가 원하는 통일

김나현

우리는
통일을 원합니다
통일 하는 생각을 해본

사람 있나요
오래전 남한과 북한은
서로 갈라졌습니다
우리 함께 용기내서
통일 해봐요

지금 이 글을
읽고 있는
누군가는
통일하는
상상을 해보았
나요

3학년 5반 김무진

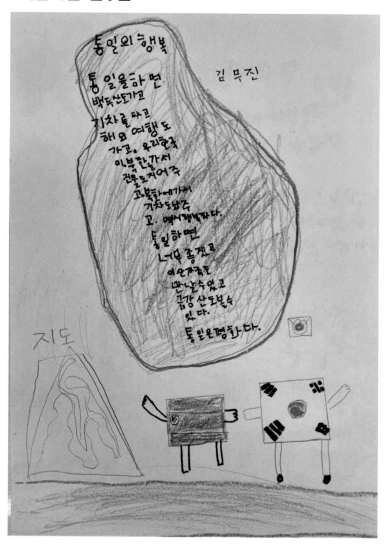

3학년 5반 김선율

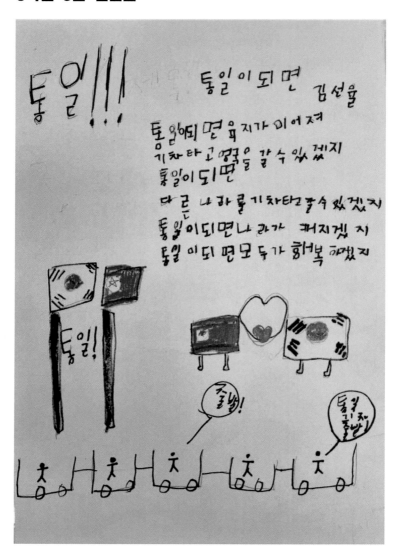

122

3학년 5반 김윤아

남한과 북한이 다시 만났으면좋겠다
글쓴이: 김윤아

남한과 북한 운 전쟁이났었다
남한가족과 북한 가족이이산 가족이되었다.
다시 남한과 북한이 다시 친해져야
남한가족과 북한 가족이 만나서 행복 됐으면
다시 통일해야   가족이기차를타고 만났으면
좋겠다. 이산가족이 생겨나고 전쟁 때문에
다친사람과 아픈사람이 많이 있자
장기려 박사님이다친사람을 치료 해주고
수술도 해준다. 사실장기려선생님도 이산가족
이었다.언제 행문이왔었다 이산가족된사람을 다시
만날기회 이였지만 장끼려 선생님은 거절했다.

123

3학년 5반 김태림

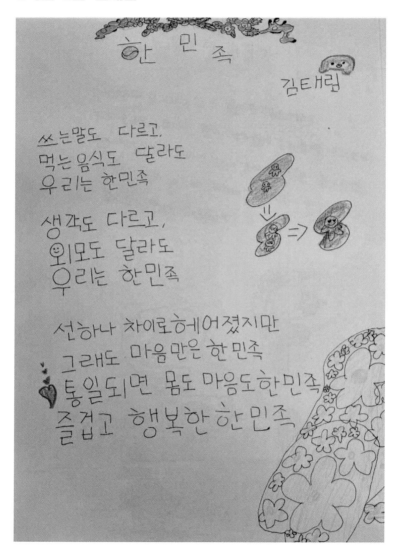

3학년 5반 김하빈

3학년 5반 송태혁

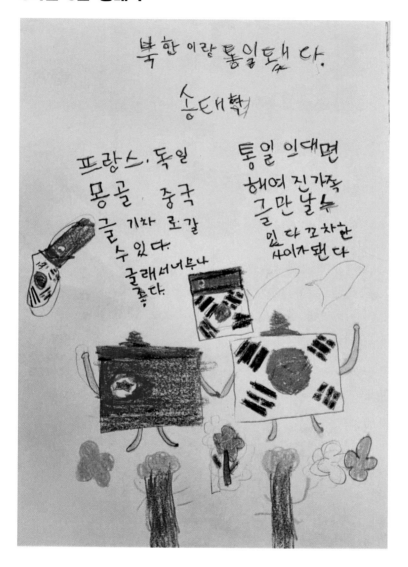

3학년 5반 신지환

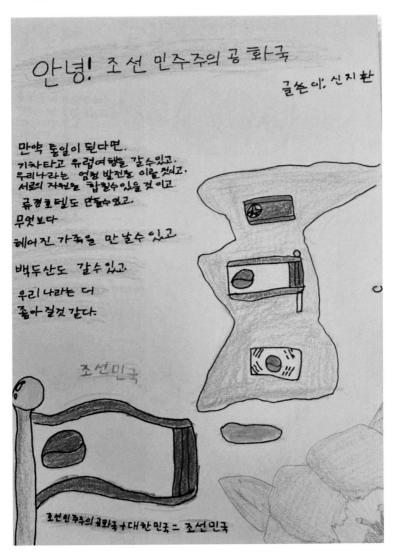

3학년 5반 오지유

3학년 5반 오현수

3학년 5반 원선우

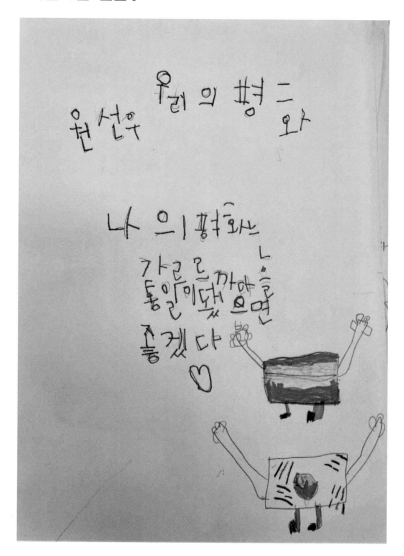

원선우 우리의형은 와

나 의평화는
가르르까~
통일이됏으면
좋겠다

3학년 5반 유가온

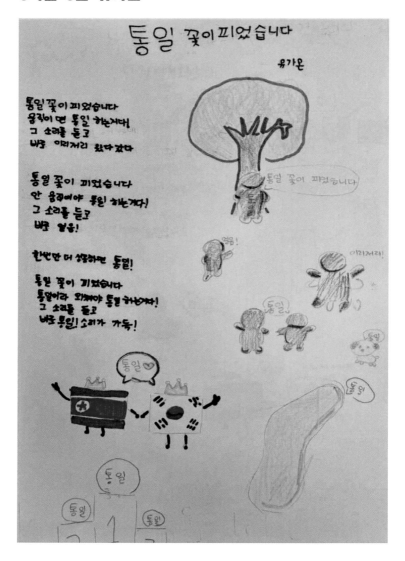

3학년 5반 유시후

3학년 5반 이서준

3학년 5반 이성록

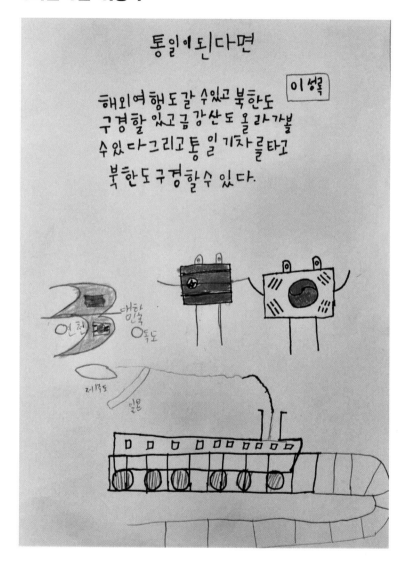

3학년 5반 이해린

3학년 5반 조하엘

3학년 5반 지소민

평화의 **통일**

지소민

우리가 바라는것은 하나야 바로 "통일"이야
너희도 바라는것도 똑같겠지만 너희도 그중하나는 "통일" 일거야

또 우리에게 불행이아닌 평화가 찾아올거야
사랑과 행복도 찾아올거야

우리도 너흴 사랑하고 또사랑해 그러니
너희도 우리 처럼 생각하려고 요 겠지?

우리 다시 힘 맞잡을 잡고 다시통일하자!
북한남한 사랑해!

3학년 5반 지준효

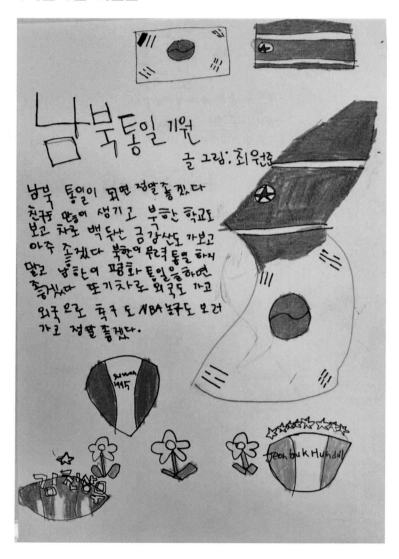

남북통일 기원

글 그림: 최원준

남북 통일이 되면 정말 좋겠다
천구도 많이 생기고 북한 학교도
보고 차로 백두산 금강산도 가보고
아주 좋겠다 북한이 무력 통일 하지
말고 남한이 평화 통일을 하면
좋겠다 또 기차로 외국도 가고
외국으로 축구도 NBA 농구도 보러
가고 정말 좋겠다.

3학년 5반 최인호

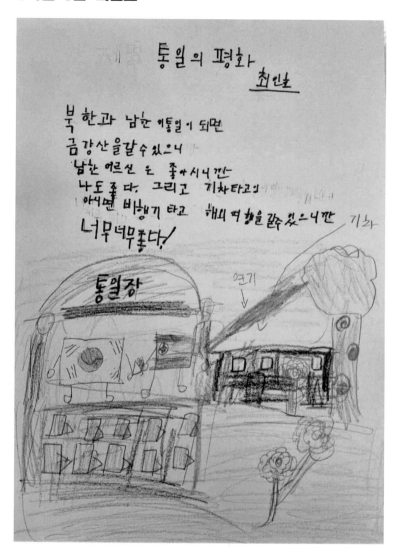

통일의 꿈을 꾸는 아이들

3학년 1반
김기찬 김지완 김태희 김하유 문예빈 박소윤 박지호 박태오
송시윤 신준후 심재준 안효영 양서윤 이규원 이　솔 이시율
이시현 이연재 이윤서 정선우 정진우 최승아 최승준 황윤희

3학년 2반
강주원 김강현 김나원 김도연 김리언 김선우 김수현 김연이
문호윤 박강솔 박시하 송민채 우수아 유예린 윤하람 이도윤
이민기 이서연 이수지 이시후 임여준 정하랑 정하음 진하준 최동빈

3학년 3반
김도준 김민찬 김　봄 박건희 배건호 백지완 심연우 엄유준
유　건 이라원 이로원 이수아 이시우 이시현 이준하 이지아
임희주 정윤서 정윤호 정이우 정지유 최승하 최지안 함예솔 홍진우

3학년 4반
강솔이 고예준 권도희 김다훈 김도율 명선혜 박민서 심유하
유지아 이가은 이동하 이아인 이재율 이태현 이하영 이호윤
임서연 장태민 정아희 최용찬 최준수 홍가을 홍서인

3학년 5반
권민수 김나은 김나현 김무진 김선율 김윤아 김태림 김하빈
백시연 송태혁 신지환 오지유 오현수 원선우 유가온 유시후
이서준 이성록 이해린 조하엘 지소민 지준효 최원준 최인호

값 15,000원
03810

9 791141 093457
ISBN 979-11-410-9345-7